メソポタミア
チグリス川
バビロニア
バビロン
ウルク
ウル
エリドゥ
シュメール
ペルシア湾

ギルガメシュ王ものがたり

ルドミラ・ゼーマン文/絵　松野正子訳

岩波書店

おおむかし，メソポタミアに，
ギルガメシュという名の王がいました。
王は，ウルクの都をおさめるために，
太陽神によって，この地へおくられたのでした。

ギルガメシュは，神でもあり，人間でもありました。
人間のすがたをしていましたが，
人間の心とはどのようなものかは，しりませんでした。

ギルガメシュは，大きく，つよく，なんでももって
いましたが，しあわせではありませんでした。
友だちがいなかったからです。
ギルガメシュは，いつも，ひとりぼっちで，そのために，
だんだん気むずかしく，ざんこくになっていきました。

ある日，ギルガメシュは，人びとに自分のつよさを見せ
つけて，いつまでも，自分をわすれさせないように
しよう，ときめました。

そこで，ギルガメシュは，都のまわりに，高い城壁を
きずかせることにしました。男たちには，家族も仕事も
すてて，城壁をつくるように，女たちには食べものを
はこんでくるように命じました。子どもとあそんで
仕事の手をとめるものがいないようにと，子どもたちは，
とおくへひきはなされました。
はじめのうち，人びとは，すすんで城壁づくりを
手つだいました。城壁をつくるには，なにかわけが
あるにちがいない――敵がせめてこようとしている
のかもしれない，とおもったのです。

けれども，城壁がどんどん高くなるにつれ，人びとは，いったいどこまで高くしなくてはならないのか，とふあんになってきました。
城壁は，世界一高くなりました。けれども，ギルガメシュは，昼も夜も人びとをはたらかせつづけました。男たちは，つかれはて，おなかをすかせて，たおれました。食べものはなくなってきました。
人びとは，城壁づくりをやめてほしい，とたのみました。
でも，ギルガメシュは，耳をかそうとしませんでした。
人びとは，太陽神に，たすけてください，と祈りました。

太陽神はそれをきき，女神に命じて，ギルガメシュと
おなじようにつよいエンキドゥという人間をつくらせ，
動物とくらすようにと，森へおくりました。
ギルガメシュが人間とともにくらしたのに，
人間らしい心にならなかったからです。

からだを長い毛でおおわれたエンキドゥは，動物たちと
なかよくなるにつれ，動物たちのことをおもいやり，
やさしくしてやれるようになりました。
けれども，エンキドゥは，人間のやさしさはしりません
でした。ほかの人間を見たことがなかったからです。

ある日，エンキドゥは，人間を見ました。
はじめて見た人間を，エンキドゥはすきになれませんでした。その人間は，動物たちをころす狩人でした。
「どうして，そんなひどいことをするのだ！」と，エンキドゥは，狩人をくるまからほうりだし，
きずついた動物たちをすくいだしました。
狩人はウルクへかけもどって，ギルガメシュに森におそろしいものがあらわれた，とはなしました。
狩人は，エンキドゥのことを，“世界一つよい人”だと，いいました。

ギルガメシュは，いかりくるって，いいました。
「我ほどつよいものなど，おらぬ。そやつをつれてこい。ウルクのすべての人びとのまえで，うちほろぼしてみせよう！」
狩人は，自分一人では，あんなにあらあらしい，つよい男をつかまえることはできない，といいました。
「それなら，歌うたいのシャマトをつれてゆけ。シャマトの歌と美しさで，そやつをおびきだしてこい。」
と，ギルガメシュはいいました。

ウルクの人びとは，みんなシャマトがだいすきでした。シャマトをすきでないのは，ギルガメシュだけでした。ギルガメシュは，だれもすきになれなかったからです。シャマトは，ウルクでいちばん美しい女で，神殿につかえるもののなかで，いちばんじょうずな歌うたいでした。けれども，シャマトに，あのあらあらしい男を，おとなしくさせることができるでしょうか。

狩人は森へいって，またひどいめにあうのはいやでした。でも，ギルガメシュにさからう勇気はありませんでした。

狩人は，シャマトを森のなかへつれていきました。
そして，シャマトを一人のこして，ウルクの都へ
にげかえりました。夜になると，シャマトは，やみの
なかでハープをひき，歌をうたいました。その声は森を
魔法の力でみたしました。エンキドゥがシャマトの
ハープと歌声にひかれてやってきました。
こんなに美しい，こんなに愛らしいものを，
エンキドゥは見たことがありませんでした。
シャマトをおどろかさないように，エンキドゥは
そっとちかよっていきました。

シャマトはエンキドゥを見て，うたうのをやめました。
エンキドゥのすがたは，人間というより，けものの
ようでした。けれども，シャマトは，いままで，
だれにも，こんなにやさしく見つめられたことは
ありませんでした。

それから毎日，シャマトは，エンキドゥに話すことを
おしえ，歌うことをおしえました。シャマトはだんだん，
エンキドゥがすきになりました。
二人の愛はふかまり，エンキドゥは，いつまでも
シャマトといっしょにいる，とやくそくしました。

そして，エンキドゥは，「ウルクへいって，ギルガメシュとたたかう。きみのため，人びとのために，いのちのかぎり。」と，いいました。シャマトはとめましたが，エンキドゥは耳をかしませんでした。

エンキドゥには，森の動物たちとわかれていくのが，いちばんつらいことでした。動物たちはあつまって，エンキドゥを見つめていました。動物たちは，なぜエンキドゥがいってしまうのか，わかりませんでした。

ギルガメシュは，毎日，朝から夕ぐれまで，ウルクの高い城壁の塔の上で目をこらし，シャマトのかえるのをまちかまえていました。人びとは，つよい男が森からきて，自分たちをざんこくな王からすくってくれる，ときいていました。ギルガメシュには，人びとの考えていることがわかっていました。

ギルガメシュは，だれも自分にさからう気にならないように，人びとのまえで，その男をころすつもりでした。

シャマトはしんぱいでした。（エンキドゥはギルガメシュをたおせるだろうか。けもののようなすがたのエンキドゥを，人びとは，どうおもうだろうか）と。シャマトは，エンキドゥの毛をきり，自分のきものをさいて，エンキドゥのからだをおおいました。

エンキドゥは，つののついたかんむりだけは，動物たちとの友情のしるしとして，はずしませんでした。はじめて，とおいウルクの都を見たエンキドゥは，目がくらみました。都がこんなに美しいとは，おもってもいませんでした。

つぎの朝，人びとはあつまって，シャマトとエンキドゥが
都の門にちかづいてくるのを見つめていました。
ギルガメシュは，すべての人びとに自分の勝利を
見せようと，その日は，城壁づくりをやめさせていました。
ギルガメシュは城壁の上から，さけびました。

「我こそは，この都と，人びとを支配するものだ。
わがゆるしなしには，だれも都へ入ることはならぬ！
できるものなら，ここへきて，我とたたかえ！」
エンキドゥは城壁をのぼって，さけびかえしました。
「いくぞ！」

ウルクの人びとは，これほどおそろしいたたかいを
見たことはありませんでした。たたかいは何時間も
つづき，地はふるえ，いなずまが空をはしりました。
神々までが，たたかっているかのようでした。

ギルガメシュとエンキドゥのつよさは，まったく
おなじで，勝負はつきません。
とつぜん，足もとの石がくずれ，ギルガメシュが城壁の
むこうへおちました。すると，

なんと！ エンキドゥが身をのりだし，ギルガメシュのうでをつかみ，城壁のうちがわへ，ひっぱりあげました。あっというまのできごとでした。人びとは自分たちの目がしんじられませんでした。
なぜ？ エンキドゥは勝ったのに。自分をころそうとしたものを，たすけるとは——なぜ？

ギルガメシュは，また城壁の上に立ち，エンキドゥとむきあいました。人びとは，息をのみました。ギルガメシュが，エンキドゥのほうへ一足すすみ，立ちどまり，両手をひろげ，そして，エンキドゥをだきしめました。ギルガメシュ王にも，ついに人間のやさしさが——人間らしい心がわかりました。ギルガメシュは，もう，ひとりぼっちではありませんでした。友だちができたのです。

祝いの祭りが，いく日もつづきました。
シャマトは，えらばれて，パレードのせんとうのくるまにのりました。ウルクの都がはじまっていらいの，
いちばんりっぱなパレードでした。
いまでは，親友になったギルガメシュとエンキドゥは，城壁の上で，それをながめ，手をふりました。

ギルガメシュは，城壁づくりをやめました。
お父さんやお母さんは，子どもたちと会えました。
みんな，よろこんで，みちばたでおどりました。

ギルガメシュは，都じゅうの人をまねいて，ごちそうしました。

いままでにないやすらかさが，ウルクの都をつつんでいました。しずかな夕ぐれに，シャマトは，よく，エンキドゥと川へいきました。そして，エンキドゥとギルガメシュが，ウルクをもっとしあわせな都にするには，どうすればいいかをはなしあうのに，耳をかたむけました。そして，二人のために，ハープをかなで，歌をうたいました。
シャマトは，二人をなかよくさせることができて，とてもうれしくおもっていました。

シャマトの声が水をわたってきこえてくると，都の人びとは足をとめ，話をやめて，じっとききいりました。
人びとは，シャマトへの感謝の気持ちでいっぱいでした。

ギルガメシュ叙事詩について

ギルガメシュ叙事詩は，世界最古の物語の一つで，5000年以上昔に，メソポタミア(今のイラクとシリアのあるところ)で，粘土板に記されました。この物語には，いろいろな変形がありますが，最初に語ったのはシュメール人とよばれる人々で，ギルガメシュはシュメール人の王でした。

メソポタミアに住んでいた人々は，いろいろな発明をしました。灌漑，車輪，最初の法典，60分を1時間とすることなどです。なかでも，もっとも重要な発明は，書くことでした。もし，書くということがなかったなら，ギルガメシュ叙事詩は失われ，今に伝わることがなかったのはたしかです。シュメール人，また後にはアッカド人，バビロニア人，アッシリア人など，メソポタミアに住んだ人々は，この物語を世界最初の文字である楔形文字で書き記しました。

メソポタミアというのは，川と川との間の土地という意味です。つまり，チグリス川とユーフラテス川の間の土地で，ここは，とても土が肥えていて農耕に適していました。8000年以上前に，ここで農耕をはじめたとき，作物はたっぷり，あまるほどとれました。そのおかげで，ニップールやウルや，ラガシュやウルクなどの町や都市ができることになりました。このウルクが，ギルガメシュ叙事詩の舞台です。これらの都市は世界最初の文明都市となりました。現在では，川の流れが変わったために，ウルクのまわりはほとんどが全くの砂漠になっているので，昔そこに農地や木や大きな都市があったとは信じにくくなっていますが，今でも，ギルガメシュ王によって作られた城壁の廃墟や，他の古代都市の遺跡を見ることができます。

何世紀もの間に，メソポタミアに住んだ人々が，アッカド，バビロニア，アッシリアなどで，ギルガメシュの物語を語りました。語り伝えるうちに，物語は少しずつ変わっていきました。そして，この物語の断片が後にエジプト，ギリシャ，ペルシャの神話，さらには，ケルト人の神話にも流れこみました。旧約聖書の物語のなかには，ギルガメシュ叙事詩とよく似た起源をもっているものがあるといわれています。メソポタミアはエデンの園の舞台であり，また，アブラハムの生誕の地とも信じられています。

粘土の書き板は，最初，19世紀に，フランスとイギリスの考古学者によって，イラクとシリアの土のなかから発見されました。学者たちは書き板を故国にもってかえり，19世紀末になって，楔形文字の翻訳が行われました。今日でも，書き板の発見はつづいていて，あちこちの博物館で見られますが，ギルガメシュ叙事詩の記されているものは，めったにありません。ロンドン，パリ，アメリカのフィラデルフィアの博物館のコレクションは，とくに有名です。

「芸術を通して，新しい美と，そして究極においては，新しい生き方を創りだすことほど，芸術家にとって，努力を要する重大な，そして同時に，よろこばしい仕事は他にない。」

カレル・ゼーマン

大型絵本
ギルガメシュ王ものがたり

1993年7月8日 第1刷発行
2020年11月16日 第11刷発行
文・絵 ルドミラ・ゼーマン
訳 者 松野正子
発行者 岡本 厚
発行所 株式会社岩波書店
〒101-8002 東京都千代田区一ツ橋2-5-5
電話案内 03-5210-4000 https://www.iwanami.co.jp/
印刷・半七印刷 製本・松岳社

ISBN4-00-110617-5 Printed in Japan

むかしむかし，そのむかしの物語

—訳者あとがき—

“むかしむかし……” と，日本や外国の昔話は始まります。どのくらい昔なのか，それはわかりません。だれが始めた話なのかもわかりません。伝えられるあいだに，話は少しずつ変わっていきました。今，わたしたちは，さまざまな国の昔話をたのしむことができます。もちろん，昔話は語り伝えられてきたものですから，語って聞かせてもらえるのがいちばんいいのですが，その機会が少なくなって，本で読むことが多くなりました。

ギルガメシュ王の物語は，わたしたちが聞いたり読んだりしている昔話よりも，もっともっと大昔の物語です。やはり，はじめは語り伝えられ，そのうちに，粘土板に楔形文字で書きつけられ，それが土中に埋もれて何千年もたってから発見され，解読され，翻訳されて，今，わたしたちも読むことができます。土中から発見される粘土板は断片ですから，記されている物語も断片です。多くの人が研究をし，解釈を加え，想像力をはたらかせて，物語を再構成してきました。この絵本『ギルガメシュ王ものがたり』の作者もそのひとりです。

作者ルドミラ・ゼーマンは，チェコスロバキアの著名な映画製作者カレル・ゼーマンの娘です。カナダに移住し，セサミ・ストリートのアニメなど，デザインやアニメーションの仕事をしてきましたが，子ども時代にギルガメシュの物語に出会って以来，それを絵本にすることが夢だったそうです。そして，シリアやイラクなどの古い粘土板や美術品を参考にして，この絵本を作りました。これは，ギルガメシュ叙事詩のはじまりの部分をとりだし，物語の細部や背景などを子どもにもたのしめるように工夫した，作者独自のギルガメシュ物語絵本で，このあと第２部『ギルガメシュ王のたたかい』，第３部『ギルガメシュ王さいごの旅』とつづきます。

太陽神というのは，セム民族が先住民族のシュメール人からひきついだ神話によれば，月神が生んだウトゥという神で，“不正を罰し人間を保護する神であった”(矢島文夫訳『ギルガメシュ叙事詩』山本書店刊)ということです。また，ギルガメシュは３分の１は神で，３分の２は人間だとされています。

古代オリエントの文学についてもっと詳しく知りたい方には，前述の『ギルガメシュ叙事詩』のほか，同じ訳者による『世界最古の物語』(H. ガスター著，社会思想社刊)などがあります。

松野正子

地中海
カナン
ユーフラテス川
エリコ
死海
メンフィス
ナイル川
エジプト
紅海